AI로 만들어내는 나만의 수익화공식

**발 행** | 2023년 12월 12일
**저 자** | 김남희
**펴낸이** | 한건희
**펴낸곳** | 주식회사 부크크
**출판사등록** | 2014.07.15(제2014-16호)
**주 소** | 서울특별시 금천구 가산디지털1로 119 SK트윈타워 A동 305호
**전 화** | 1670-8316
**이메일** | info@bookk.co.kr

ISBN | 979-11-410-5925-5

www.bookk.co.kr

# AI로 만들어내는 나만의 수익화공식

김남희 지음

# CONTENT

# 프롤로그.

인간은 성공을 향한 열망을 가지고 태어납니다. 그리고 이제 우리는 인공지능(AI)의 시대에 접어들었습니다. AI는 우리의 삶과 사회를 혁신하며, 새로운 가능성을 열어줍니다. 이 책 "AI로 만들어내는 나만의 수익화 공식"은 AI와 성공을 연결하는 열쇠를 제시하고자 합니다.

이 책에서는 AI의 도움을 받아 우리가 어떻게 나만의 성공공식을 찾아갈 수 있는지를 탐구합니다.

하지만 이 책은 AI만으로 성공을 보장해 주지는 않습니다. 우리는 여전히 스스로의 노력과 열정을 기울여야 합니다. 성공은 우리의 힘과 지속적인 도전, 실패와 학습을 통해 이루어집니다. AI는 도구일 뿐, 그 도구를 올바르게 활용하는 것은 우리에게 달려있습니다.

이 책을 통해 여러분은 AI로 완성되는 나만의 성공공식을 발견하고, 그것을 실현하기 위한 첫 걸음을 내딛을 것입니다. 함께 미래를 향해 나아가는 모든 분들에게 행운이 함께하기를 소망합니다. 이제, 성공을 향한 여정을 시작해 봅시다.

# 1장 평범한 삶, AI로 특별하게 시작하다

초여명이 밝기 시작하는 아침, 일상이 시작됩니다.

우리의 눈을 뜨면, 먼저 만나는 것은 AI입니다. 스마트폰의 알람은 우리의 수면 패턴을 분석하여 가장 경각심이 높은 시간에 우리를 부드럽게 깨워줍니다. 이는 한때 우리가 상상했던 미래의 모습이 아니라, 지금 우리의 일상입니다.

아침 식사 시간에는 AI가 추천해준 메뉴로 건강을 챙깁니다. 기온, 체중, 신체 상태를 분석하여 오늘의 영양소를 선정해주는 것이죠. 또한, 스마트폰의 AI는 우리의 일정을 체크하고, 교통 상황을 분석하여 가장 효율적인 출근 경로를 제시해줍니다.

일과 중에도 AI는 우리의 믿음직한 동반자입니다.

우리의 행동 패턴, 습관, 흥미 등을 분석하여 필요한 정보를 제공하고, 일의 효율성을 높여줍니다. 또한, AI는 다양한 상황에서 우리의 감정을 이해하고, 필요에 따라 위로나 조언을 해줍니다. 이처럼 AI는 우리의 일상을 보다 더 특별하게 만들어줍니다.

저녁 시간이 되면, AI는 우리의 취향을 반영한 음악을 틀어줍니다. AI는 우리의 감정 상태를 파악하여, 그에 맞는 음악을 추천해주는 것이죠. 이런 방식으로 AI는 우리의 일상을 보다 더 풍요롭게 만들어줍니다.

AI가 우리의 삶에 깊이 녹아들면서, 우리는 더 이상 AI를 특별한 존재로 인식하지 않습니다. AI는 단순히 도구가 아닌, 우리의 일상의 일부가 되었습니다. 우리의 삶이 특별해진 것은 AI 덕분입니다.

하지만 모든 이들이 AI의 혜택을 누리고 있는 것은

아닙니다. 아직도 많은 사람들이 AI의 존재를 알지 못하거나, 그 기술을 이용하지 못하고 있습니다. 그러나 AI의 발전은 멈추지 않습니다. 앞으로 AI는 더욱 발전하여, 누구나 쉽게 이용할 수 있게 될 것입니다.

평범한 삶, 그 안에서 AI는 우리의 일상을 특별하게 만들어줍니다. 우리가 AI와 함께하는 순간, 일상은 더욱

풍요롭고 특별해 집니다. 평범한 삶, AI로 특별하게 시작하다. 이것이 바로 우리의 현재, 그리고 미래입니다.

그렇다면 AI가 우리 일상을 어떻게 변화시켜줄까요

AI는 이미 우리의 일상 생활에 깊숙이 들어와 있습니다. 아침에 일어나서 잠자리에 들 때까지, AI는 우리의 삶의 많은 부분을 효율적이고 편리하게 만들어주는 역할을 하고 있습니다.

우선, AI는 우리의 통신 방식을 혁신적으로 변화시키고 있습니다. 스마트폰의 음성 인식 기능, 번역 앱, 챗봇 등 AI 기술은 우리가 정보를 얻고, 서로 소통하는 방식을 크게 개선하였습니다.

또한, AI는 우리의 생활을 보다 편리하게 만들어줍니다. 스마트홈 시스템은 우리의 생활 패턴을 학습하여, 조명, 온도, 음악 등을 자동으로 조절해줍니다. 자동차의 자율 주행 기능은 우리가 편안하게 목적지에 도착할 수 있도록 도와줍니다.

AI는 또한 우리의 건강 관리에도 큰 변화를 가져왔습니다. 웨어러블 기기는 우리의 신체 상태를 모니터링하고, AI는 그 데이터를 분석하여 우리에게 운동이나 식사에 대한 조언을 해줍니다.

그러나 AI의 발전은 여기서 그치지 않습니다. 앞으로 AI는 우리의 일상을 더욱 풍요롭게 만들어줄 것입니다.

예를 들어, AI는 우리의 취미나 취향을 이해하고, 개인

화된 추천을 제공하여 우리의 여가 시간을 더욱 특별하게 만들어줄 것입니다. 또한, AI는 우리의 감정을 이해하고, 우리가 필요로 하는 지원을 제공하여 우리의 정신건강을 돕는 역할도 할 것입니다.

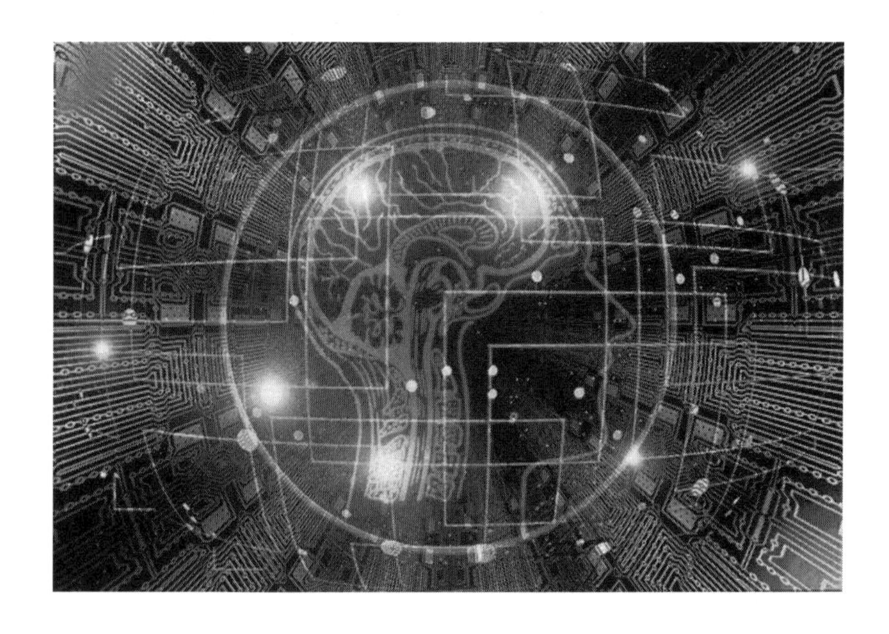

결국, AI는 우리의 일상을 더욱 효율적이고, 편리하고, 풍요롭게 만들어줄 것입니다. 그러나 동시에, AI의 발전이 가져올 변화에 대비하고, AI를 올바르게 이해하고 활용하는 것이 중요합니다. AI의 시대가 오고 있음을 인지하고, 그 변화를 적극적으로 받아들이는 것이 우리 모두의 책임입니다.

## 2장 내 인생은 언제까지 월급쟁이일까

많은 사람들이 월급쟁이의 일상에서 벗어나고자 합니다.
그 이유는 다양합니다

월급쟁이의 삶은 편안함과 동시에 불안함을 안겨주는 이중적인 성격을 지닙니다.

매월 정해진 시간에 받는 월급은 생활비를 충당하고,

어느 정도의 안정감을 주지만, 한편으로는 더 나은 삶을 꿈꾸며 이런 삶에 만족하지 못하는 이들이 많습니다.

"내 인생은 언제까지 월급쟁이일까?" 라는 질문은 그런 불안감과 불만족감, 그리고 희망을 모두 담고 있는 문장입니다.

또한, 월급쟁이의 삶은 일정한 틀 안에서의 삶을 의미합니다. 매일 같은 시간에 출근하여 정해진 업무를 수행하고, 그에 대한 대가로 월급을 받는 것입니다. 이런 반복적인 삶은 안정감을 주지만, 동시에 불 만족감을 느끼게 하는 원인이 될 수 있습니다. 이런 불 만족감은 "내 인생은 언제까지 월급쟁이일까?" 라는 생각으로 이어집니다.

하지만, 이런 생각은 단지 불안감과 불 만족감에서 비롯된 것만은 아닙니다. 이는 또한 희망을 담고 있는 문장입니다. 월급쟁이의 삶을 벗어나, 자신만의 사업을 시작하거나, 자신의 역량을 통해 더 큰 성공을 이루고 싶다는 꿈을 가지고 있기 때문에 이런 생각이 드는 것입니다.

그렇다면, 월급쟁이의 일상에서 어떻게 벗어날 수 있을까요?

자신의 역량을 개발하는 것입니다. 월급쟁이에서 벗어나려면, 단순히 기존의 직업을 그만두는 것만으로는 충분하지 않습니다. 여러분은 무엇을 잘할 수 있는지, 어떤 역량을 갖추고 있는지를 명확히 알아야 합니다. 그리고 그 역량을 기반으로 새로운 경로를 탐색해야 합니다.

이를 위해, 여러분은 꾸준히 학습하고, 실력을 키워야 합니다.

자신만의 비즈니스를 시작하는 것입니다. 여러분이 월급쟁이의 일상에서 벗어나려면, 자신만의 비즈니스를 운영하는 것을 고려해 볼 수 있습니다. 이는 여러분이 자신의 시간을 자유롭게 관리하고, 자신의 능력을 최대한

활용할 수 있는 방법입니다. 비즈니스를 시작할 때는, 여러분이 잘하는 것과 시장의 수요를 고려해야 합니다.

자산을 통한 수익 창출을 고려하는 것입니다. 월급 외에도 투자나 부동산 등을 통해 수익을 창출하는 방법을 고려해 볼 수 있습니다. 이는 장기적으로 안정적인 수익을 얻을 수 있는 방법이며, 여러분이 월급쟁이의 일상에서 벗어나는 데 도움이 될 수 있습니다. 하지만 투자는 위험성을 동반하므로, 신중한 판단과 계획이 필요합니다.

네트워킹을 확장하는 것입니다. 월급쟁이의 일상에서 벗어나려면, 다양한 사람들과의 연결망을 만들어가는 것이 중요합니다. 이는 새로운 기회를 찾는 데 도움이 될 뿐만 아니라, 여러분이 새로운 경로를 탐색할 때 필요한 정보와 지원을 얻을 수 있는 방법입니다.

마지막으로, 월급쟁이의 일상에서 벗어나는 것은 쉽지 않은 결정이므로, 신중하게 고려해야 합니다. 여러분이 월급쟁이의 일상에서 벗어나기를 원한다면, 그 결정이 여러분의 삶에 어떤 영향을 미칠지 충분히 고려해야 합니다. 또한, 계획 없이 급하게 월급쟁이의 일상을 떠나려 하지 않아야 합니다. 여러분의 목표와 계획을 명확히 설정하고, 그에 따라 천천히 준비를 해 나가는 것이 중요합니다.

월급쟁이의 일상에서 벗어나는 것은 쉽지 않은 과정입니다. 하지만 위에서 제안한 방법들을 참고하여, 여러분이 월급쟁이의 일상에서 벗어나는 데 필요한 준비를 천천히 해 나간다면, 원하는 목표를 달성할 수 있을 것입니다.

이런 고민을 통해 자신만의 삶의 방향을 찾아가는 것이 중요하며, 이를 통해 월급쟁이의 삶을 벗어나, 더 나은 삶을 살아가는 길을 찾을 수 있을 것입니다.

## 3장 : 급격한 성장을 위한 준비

인생은 끊임없는 성장의 연속입니다. 그러나 성장은 자연스럽게 이루어지는 것이 아니라, 의식적인 노력과 준비를 필요로 합니다. 그렇다면, 성장을 위해 할 수 있는 방법은 무엇일까요?

먼저, 긍정적인 마음가짐을 갖는 것이 중요합니다. 인생에서의 성장을 이루려면 어려움과 장애물을 극복해야 하는데, 긍정적인 마음가짐이 있으면 이러한 도전들을 두려워하지 않고 도전할 용기를 낼 수 있습니다.

또한 긍정적인 사람들은 주변 사람들과 좋은 관계를 유지하며, 이를 통해 서로 도움을 주고받을 수 있는 기회가 늘어납니다.

다음으로, 꾸준한 노력과 인내심을 기르는 것이 필요합니다. 인생에서 성장하려면 시간과 노력을 투자해야 합니다. 어려운 일을 겪을 때 포기하지 않고 꾸준히 노력하는 것이 결국 성공으로 이어질 수 있는 지름길입니다.

인내심을 가지고 장기적인 목표를 향해 달려가는 것이

중요하며, 이를 위해 스스로에게 동기부여를 할 수 있는 방법을 찾는 것도 좋습니다.

또한, 학습을 즐기는 자세를 가지는 것이 좋습니다. 지식과 경험은 인생의 성장을 이루는 핵심적인 요소입니다.

새로운 것을 배우고 경험하는 것을 즐길 줄 알면 인생의 성장이 빠르게 이루어질 수 있습니다. 지속적인 학습을 통해 자신의 역량을 키워 나가는 것이 중요합니다.

그리고, 유연성을 가지는 것이 도움이 됩니다. 인생에서는 예상치 못한 일이 발생하기도 하고 계획한 것과 다른 결과가 나오기도 합니다. 이런 상황에서 유연하게 대처할 수 있는 능력이 있으면 더 빠르게 성장할 수 있습니다.

유연성을 가지려면 자신의 생각과 행동에 대해 깊이 있게 고민하고 다양한 시각을 가진 사람들과 소통하는 것이 좋습니다.

또한, 목표를 세우고 실행하는 것이 중요합니다. 인생의 성장을 이루기 위해 목표를 세우고 그 목표를 향해 노력하는 것이 필요합니다. 목표를 세울 때는 현실적이면서 도전적인 목표를 세우는 것이 좋으며 이를 위한 계획을 세우고 실행에 옮기는 것이 중요합니다.

성장에 있어서 중요한 것은 실패에 대한 태도입니다. 실패는 피할 수 없는 과정이며, 오히려 성장의 발판이 될 수 있습니다. 실패를 통해 얻은 교훈과 경험은 더 나은 성장을 위한 기반을 마련해줍니다.

마지막으로, 소통과 협력을 중요시하는 것이 좋습니다. 인간은 사회적 동물이기 때문에 주변 사람들과의 소통과 협력을 통해 더 큰 성장을 이룰 수 있습니다. 상대방의 의견을 존중하며 다양한 관점을 수용할 수 있는 능력을 키워 나가는 것이 중요합니다.

결국 인생의 성장을 위한 자세는 다양하게 존재하며 이러한 자세들을 갖추면 삶의 질을 높이고 더 큰 발전을 이룰 수 있습니다. 항상 긍정적인 마음가짐을 갖추고 꾸준한 노력과 인내심을 가지며 학습을 즐기고 유연성을 발휘하는 것을 목표로 하시면 인생의 성장을 이룰 수 있을 것입니다. 이 글을 통해 여러분들의 인생 성장에 도움이 되길 바랍니다.

SUCCESS
INNOVATION
VENTURE
CUSTOMER
BUSINESS
TEAMWORK
SALES
PERFORMANCE
TEAM
MARKETING
PLAN
SUPPORT
COMPETITION
OPPORTUNITIES
STRATEGY
GOALS
IDEAS

## 4장 : 어떤 어려움도 이겨내는 내면 만들기

"어떤 어려움도 이겨내는 내면 만들기"를 위한 방법을 이해하려면, 우리는 우선 자신을 깊이 이해해야 합니다. 이는 자신의 감정, 생각, 행동 패턴을 파악하고, 이를 통해 자신이 어떤 상황에서 어떻게 반응하는지 이해하는 것입니다. 이 과정에서 자신의 강점과 약점을 발견하고, 이를 바탕으로 자신을 개선해 나갈 수 있습니다. 이러한 이해는 정기적인 성찰을 통해 이루어질 수 있습니다.
매일 밤, 그날의 행동과 생각, 그리고 감정을 되돌아보는 것이 좋습니다.

둘째로, 긍정적인 마인드 셋을 갖는 것이 중요합니다. 어려움을 부정적으로 받아들이기 보다, 그 어려움을 성장의 기회로 받아들이는 태도를 의미합니다. 이는 어떤 상황에서도 항상 긍정적인 면을 찾아내는 것을 통해 실현될 수 있습니다. 이를 위해 긍정적인 사람들과의 관계를 유지하고, 긍정적인 자료를 읽는 등의 방법을 활용할 수 있습니다. 또한, 자기 자신에게 긍정적인 언어를 사용하는 것도 중요합니다. 자신에게 칭찬과 격려의 말을 건네는 것이 좋습니다. 강인한 정신력도 어떤 어려움도 이겨내는 내면을 만드는 데 중요합니다.

이는 어려움 속에서도 포기하지 않고 끝까지 노력하는 태도를 의미합니다. 명상, 요가, 운동 등을 통해 스트레스를 관리하고 정신력을 키우는 것이 좋습니다. 이러한 활동은 마음의 평정을 유지하고, 감정을 제어하는 데 도움이 됩니다.
그리고, 명확한 목표를 설정하는 것도 중요합니다. 어떤 어려움도 이겨내는 강인한 내면을 만드는 데는 자신이 도달하고자 하는 목표가 있어야 합니다. 그 목표를 기반으로 일관된 노력을 기울이는 것이 중요합니다. 이를 위해 자신의 꿈과 목표를 명확히 정의하고, 그것을 달성하기 위한 계획을 세우는 것이 필요합니다.

목표는 구체적이고 측정 가능하며, 달성 가능해야 합니다.

또한, 어떤 어려움도 이겨낼 수 있는 내면을 만드는 데

는 탄력성이 중요합니다. 이는 실패를 겪었을 때 그것을 극복하고, 다시 일어서는 능력을 의미합니다. 이를 위해 실패 경험을 통한 학습, 문제 해결 능력 향상, 그리고 긍정적인 마인드 셋을 훈련하는 것이 필요합니다. 실패는 피할 수 없는 과정이지만, 그것을 극복하고 다시 도전하는 자세가 중요합니다.

마지막으로, 지속적인 학습이 필요합니다. 어떤 어려움도 이겨내는 강인한 내면을 만들기 위해서는 새로운 지식과 기술을 습득하고, 그것을 실생활에 적용하는 것이 중요합니다. 이를 위해 독서를 하거나, 온라인 강의를 듣는 등 다양한 방법으로 학습할 수 있습니다.

이렇게 자기 이해, 긍정적 마인드셋, 강인한 정신력, 목표 설정, 탄력성 개발, 그리고 지속적인 학습 등을 통해 "어떤 어려움도 이겨내는 내면"을 만들 수 있습니다.

이 과정은 쉽지 않지만, 꾸준한 노력과 훈련을 통해 성장할 수 있습니다. 이를 통해, 어떠한 어려움도 이겨낼 수 있는 강인한 내면을 만들어 나갈 수 있습니다. 이것이 바로 "어떤 어려움도 이겨내는 내면 만들기"의 진정한 의미입니다.

SUCCESS

# 5장 : AI는 새로운 길로 나를 인도하다

우리는 사회에서 첨단 기술의 발전과 함께 인공지능(AI)의 시대가 도래하고 있음을 명확히 인식하고 있습니다.

AI의 발전은 우리의 삶을 근본적으로 바꾸고 있습니다. AI는 우리에게 새로운 방식의 학습, 업무 처리, 커뮤니케이션 방법 등을 제공하며, 이를 통해 우리의 삶을 더욱 창의적으로 만들어줄 수 있습니다.

먼저, AI는 나의 학습 방식에 혁신을 가져올 것입니다. AI는 맞춤형 학습 경험을 제공하며, 이를 통해 나는 내가 필요로 하는 지식과 기술을 더욱 효과적으로 습득할 수 있을 것입니다. AI는 나의 학습 성향과 페이스에 맞춘 학습 컨텐츠를 제공하고, 이를 통해 나는 더욱 깊이 있는 학습을 경험할 수 있을 것입니다. 이러한 창의적인 학습 방식은 나를 새로운 아이디어와 해결책을 찾아내는 데 도움을 줄 것입니다.

또한, AI는 나의 업무 방식을 변화시킬 것입니다. AI는 일부 루틴적인 업무를 자동화하고, 이를 통해 나는 더욱 창의적인 업무에 집중할 수 있게 될 것입니다. AI는 복잡한 문제를 빠르게 분석하고 해결책을 제안해주며,
이를 통해 나는 더욱 창의적인 결정을 내릴 수 있게 될 것입니다. 이러한 창의적인 업무 방식은 나의 업무 효율성을 높이고, 더욱 풍부한 업무 경험을 제공할 것입니다.

AI는 또한 나의 커뮤니케이션 방식을 혁신할 것입니다. AI는 언어 번역 기술을 통해 나를 다양한 언어와 문화를 가진 사람들과 소통할 수 있게 도와줄 것입니다. 이를 통해 나는 다양한 배경과 경험을 가진 사람들과의 창의적인 대화를 나눌 수 있게 될 것입니다. 이러한 창의적인 커뮤니케이션 방식은 나의 사고 방식을 확장시키고, 나를 새로운 아이디어와 통찰에 접근하게 할 것입니다.

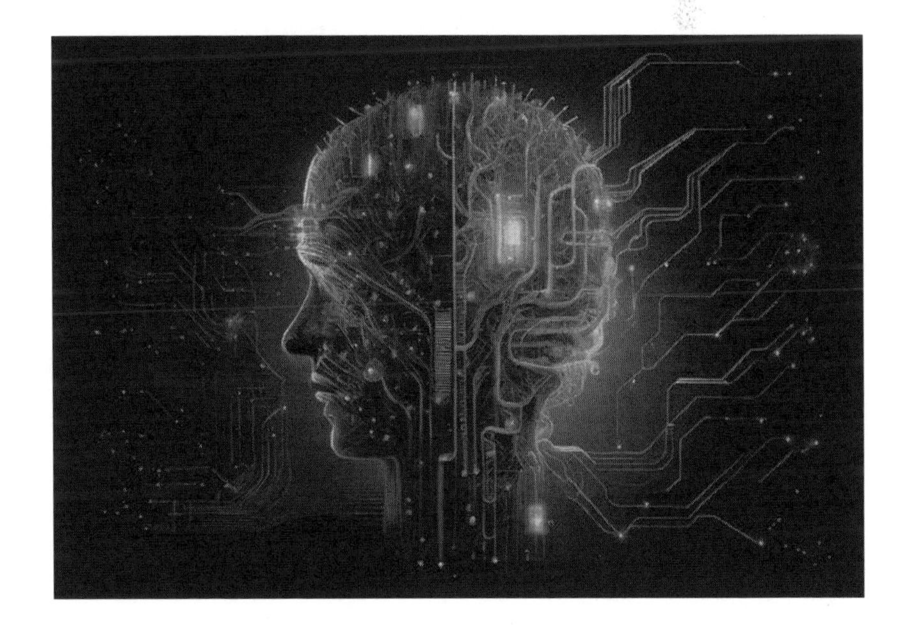

마지막으로, AI는 나의 창의력을 더욱 끌어올려줄 것입니다. AI는 나의 취향과 선호도를 학습하여 나에게 새로운 아이디어와 영감을 제공할 수 있습니다. 이를 통해 나는 더욱 창의적인 아이디어를 생각해낼 수 있을 것입니다. 또한, AI는 나의 창작 과정을 지원하여, 나의 아이디어를 더욱 효과적으로 실현시킬 수 있게 도와줄 것입니다.

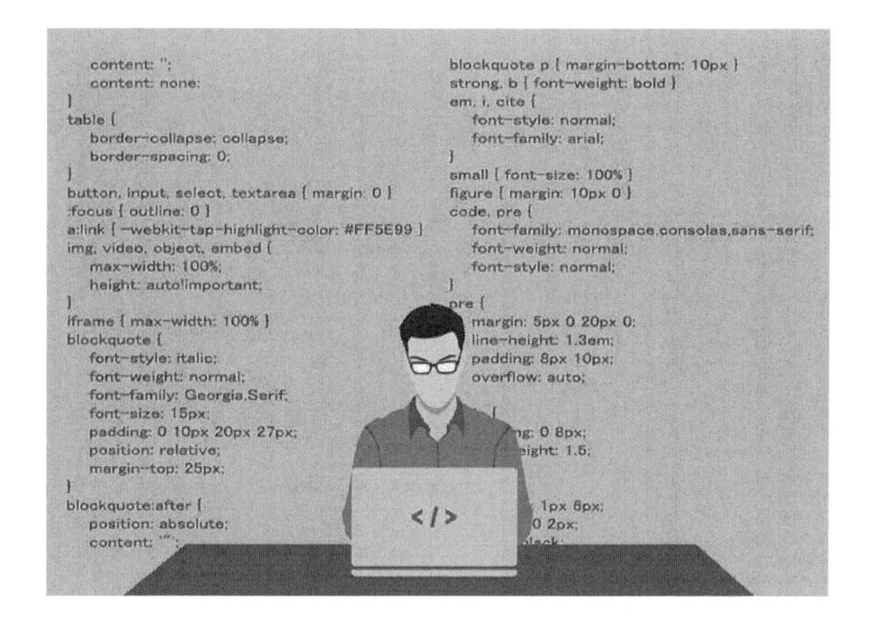


AI는 우리의 삶을 더욱 창의적으로 만들어주는 역할을

할 것입니다. AI의 발전을 적극적으로 활용하고, 그 변화를 긍정적으로 받아들이면, 나는 AI와 함께하는 더욱 창의적인 삶을 살아갈 수 있을 것입니다. AI는 나의 삶을 더욱 풍요롭고, 즐겁고, 창의적으로 만들어줄 것입니다.

## 6장 : 작은 성공을 큰 성공으로

매일 우리는 작은 성공들을 이루고 있습니다.

예를 들어, 아침에 일찍 일어나는 것, 하루의 일정을 무사히 마치는 것, 새로운 일을 배우는 것 등이 그것입니다. 이런 작은 성공들은 우리의 일상을 지탱하고, 우리를 발전시키는 원동력입니다. 그러나 이런 작은 성공들을 어떻게 하면 큰 성공으로 이끌어낼 수 있을까요?
이를 위해 몇 가지 방법들을 제안해 드리고자 합니다.

작은 성공을 인식하고 기록하는 것입니다. 우리는 종종 작은 성공들을 간과하거나 무시하는 경향이 있습니다. 그러나 작은 성공들은 큰 성공으로 이어지는 첫걸음입니다. 따라서 매일 무슨 일을 했는지, 어떤 성공을 이루었는지를 기록하고, 이를 통해 작은 성공들을 인식하는 것이 중요합니다.

다음으로는 작은 성공을 기반으로 목표를 설정하는 것입니다. 작은 성공을 이루었다면, 그것을 바탕으로 다음 목표를 설정해야 합니다. 이를 통해 작은 성공들은 큰 성공으로 이어지는 계단이 됩니다. 목표를 설정할 때는 현실적이면서도 도전적인 목표를 설정하는 것이 좋습니다.

작은 성공을 공유하고, 타인의 성공을 칭찬하는 것입니다. 작은 성공을 주변 사람들과 공유하면, 그 성공은 더

큰 의미를 가지게 됩니다. 또한, 타인의 성공을 칭찬하고 격려하면, 그것은 우리 자신에게도 긍정적인 에너지를 줍니다. 이런 방식으로, 작은 성공들은 서로를 격려하고 발전시키는 원동력이 됩니다.

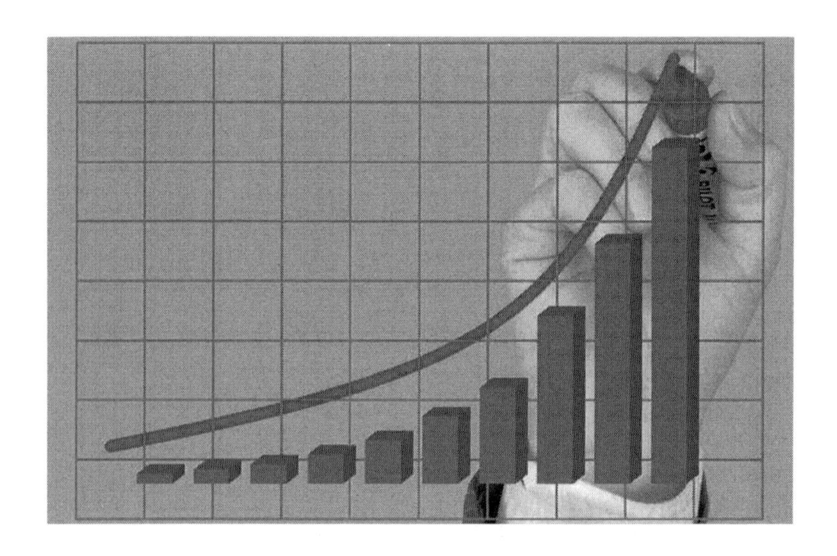

작은 성공을 반복하고, 습관화하는 것입니다. 작은 성공을 한 번 이루었다고 해서 끝나는 것이 아닙니다. 작은 성공을 반복하고, 이를 습관화해야 합니다. 이를 통해 작은 성공들은 우리의 능력을 키우고, 우리를 큰 성공으로 이끌어갈 수 있는 기반을 만들어줍니다.

또한, 작은 성공을 통해 얻은 교훈과 경험을 기록하는

것도 중요합니다. 이는 우리가 어떤 일을 통해 어떤 성공을 얻었는지, 그 과정에서 어떤 교훈을 얻었는지를 기록하는 것을 의미합니다. 이를 통해 우리는 자신의 성장을 확인하고, 이를 바탕으로 다음 목표를 설정할 수 있습니다.

작은 성공을 큰 성공으로 이끌어가는 데는 끊임없는 노력이 필요합니다. 이는 우리가 작은 성공을 경험하고, 이를 통해 얻은 자신감과 교훈을 바탕으로 더 큰 목표를 향해 도전하는 것을 의미합니다.
이를 위해 우리는 꾸준히 노력하고, 지속적으로 스스로를 도전하며, 실패를 두려워하지 않는 태도가 필요합니다.

마지막으로, 작은 성공을 이루는 데 실패했을 때는 포기하지 않는 것입니다. 실패는 성공으로 가는 길목에서 자주 만나게 되는 도전입니다. 그러나 실패를 겪었다고 해서 포기해선 안됩니다. 실패를 통해 우리는 더 많이 배우고, 더 강해집니다. 따라서 작은 성공을 이루는 데 실패했을 때는 그것을 배움의 기회로 받아들이고, 다시 도전해야 합니다.

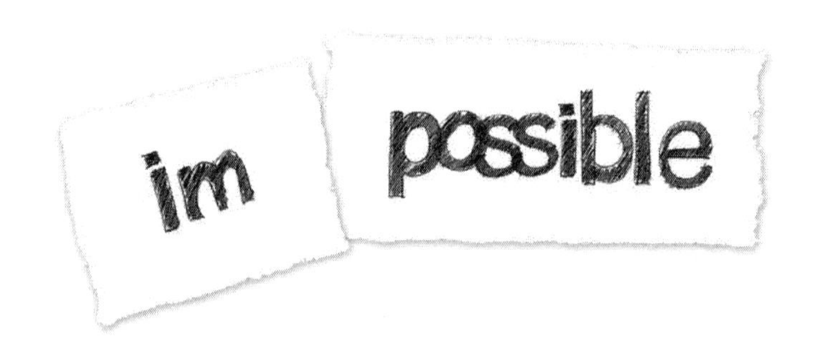


작은 성공을 큰 성공으로 이끌어내는 것은 쉽지 않은 일입니다. 하지만 작은 성공을 인식하고 기록하며, 목표를 설정하고, 성공을 공유하고 칭찬하며, 성공을 반복하고 습관화하며, 실패에도 포기하지 않는다면, 그것은 분명 큰 성공으로 이어질 것입니다.
이것이 바로 "작은 성공을 큰 성공으로" 이끌어가는 방법입니다.

## 7장 : 시도에 대한 두려움은 기회다

우리 모두에게는 새로운 일을 시도하는 것에 대한 두려움이 있습니다. 그것은 실패할지도 모른다는 불안, 결과가 나쁠지도 모른다는 걱정 등으로 나타납니다.
하지만, 그럼에도 불구하고 우리는 여전히 시도해야 합니다.
왜냐하면 시도하는 것 자체가 성장의 첫걸음이기 때문입니다.  그렇다면, 어떻게 우리는 두려움을 이겨내고, 간결하게 많이 시도할 수 있을까요?

두려움을 극복하고 많은 시도를 하는 데에는 몇 가지 방법이 있습니다.

자신의 두려움을 인정하는 것입니다. 우리는 종종 두려움을 부정하려고 합니다. 하지만 이것은 두려움을 더 크게 만들고, 우리를 더욱 시도하지 않게 만듭니다.
따라서 우리는 먼저 자신의 두려움을 인정해야 합니다.

그리고 그 두려움이 왜 생겼는지, 어떤 부분에서 오는지를 파악해야 합니다. 이를 통해 우리는 두려움을 이해하고, 이를 극복하는 첫걸음을 뗄 수 있습니다.

작은 단계로 시도하는 것입니다. 큰 목표를 달성하려고

할 때, 우리는 종종 큰 두려움을 느낍니다.
그러나 그 목표를 작은 단계로 나누고, 그 단계들을 하나씩 시도하면, 우리는 두려움을 이겨낼 수 있습니다. 작은 단계로 시도하면, 그것은 우리에게 성취감을 주고, 우리를 더 많이 시도하게 만듭니다.

실패를 경험으로 바라보는 것입니다. 우리는 종종 실패를 두려워합니다. 하지만 실패는 배울 수 있는 좋은 경험입니다. 실패를 통해 우리는 자신의 약점을 알게 되고, 그것을 개선할 수 있습니다. 또한, 실패를 통해 우리는 자신이 얼마나 강한지를 알게 됩니다. 따라서 우리는 실패를 두려워하기보다는, 그것을 경험으로 바라보고, 그것을 통해 배우고 성장해야 합니다.

또한, 긍정적인 생각을 갖는 것입니다. 우리의 생각은 우리의 행동에 큰 영향을 미칩니다. 우리가 부정적인 생각을 갖고 있다면, 우리는 시도하기를 꺼리게 됩니다. 그러나 우리가 긍정적인 생각을 갖고 있다면, 우리는 더 많이 시도할 수 있습니다. 따라서 우리는 항상 긍정적인 생각을 갖고, 이를 통해 두려움을 이겨내고, 더 많이 시도하는 것이 중요합니다.

두려움을 극복하고, 더 큰 도전을 할 수 있는 용기를 얻을 수 있습니다.

우리는 타인의 도움을 받아야 합니다.

우리는 종종 혼자서 모든 것을 해결하려고 합니다. 하지만 이것은 우리에게 큰 부담을 주고, 우리를 더욱 시도하지 않게 만듭니다. 따라서 우리는 필요할 때 도움을 청해야 합니다.
도움을 청하면, 그것은 우리에게 새로운 시각을 제공하고, 우리를 더욱 시도하게 만듭니다

이처럼 두려움을 인정하고 이해하고, 작은 단계로 시작하고, 실패를 두려워하지 않고, 지속적으로 학습하고,
타인의 도움을 받는 등의 방법을 통해 우리는 "시도에 대한 두려움"을 극복하고, "간결하게 많이 시도"할 수 있습니다. 이 과정에서 우리는 자신을 끊임없이 도전하는 사람으로 성장시킬 수 있으며, 이는 결국 큰 성공으로 이어질 것입니다.
이것이 바로 "시도에 대한 두려움, 간결하게 많이 시도하자" 라는 주제를 실현하는 방법입니다.

# 에필로그

AI는 우리의 삶과 사회에 혁신을 가져오며, 새로운 가능성을 열어줍니다.
지금까지 우리는 AI의 발전과 함께 성공에 도달하는 방법과 과정을 살펴보았습니다.

AI는 우리에게 다양한 정보와 데이터를 제공하고, 예측과 분석을 통해 최적의 전략을 찾아줍니다.
이를 통해 우리는 더욱 효율적인 의사결정을 할 수 있으며, 새로운 아이디어를 발전시킬 수 있습니다.

하지만 AI가 우리의 성공을 완성시켜주는 것은 아닙니다. 우리는 여전히 자기계발의 과정을 거쳐야 합니다.
성공은 우리의 노력과 열정, 지속적인 도전과 실패를 통해 이루어집니다. AI는 도구일 뿐, 그 도구를 효과적으로 활용하는 것은 우리의 몫입니다.

이 책은 AI로 완성되는 나만의 성공공식을 찾아나가는 여정에 도움을 주고자 합니다. AI의 도움을 받아 명확한 목표를 설정하고, 데이터와 분석을 통해 최적의 전략을 도출할 수 있습니다. 그러나 우리는 스스로의 경험과 배움을 통해 성공공식을 완성시켜야 합니다.

마지막으로, 이 책을 통해 AI가 우리에게 제공하는 가능성을 엿볼 수 있습니다.

AI는 우리의 성공을 돕는 도구일 뿐, 그 도구를 효과적으로 활용하는 것은 우리에게 달려있습니다. AI와 함께 나아가며 우리는 더 나은 미래를 창출할 수 있을 것입니다.

이 책이 여러분의 성공에 도움이 되기를 바랍니다.
함께 미래를 향해 나아가는 모든 분들에게 행운을 빕니다.

Thank You!